Un agradecimiento especial a James Noble.

Para Jed Thomas Burden.

DESTINO INFANTIL Y JUVENIL, 2014
infoinfantilyjuvenil@planeta.es
www.planetadelibrosinfantilyjuvenil.com
www.planetadelibros.com
Editado por Editorial Planeta, S. A.

© de la traducción: Macarena Salas, 2014

Título original: *Rokk. The Walking Mountain*
© del texto: Working Partners Limited 2009
© de la ilustración de cubierta e ilustraciones interiores:
Steve Sims - Orchard Books 2009
© Editorial Planeta, S. A., 2014
Avda. Diagonal, 662-664, 08034 Barcelona
Primera edición: febrero de 2014
ISBN: 978-84-08-12428-3
Depósito legal: B. 116-2014
Impreso por Liberdúplex, S. L.
Impreso en España – Printed in Spain

El papel utilizado para la impresión de este libro es cien por cien libre de
cloro y está calificado como **papel ecológico**.

ROK,
LA MONTAÑA ANDANTE

ADAM BLADE

$\mathcal{B}$ienvenido a un nuevo mundo...

¿Pensabas que ya habías conocido la verdadera maldad? ¡Eres tan iluso como Tom! Puede que haya vencido al Brujo Malvel, pero le esperan nuevos retos. Debe viajar muy lejos y dejar atrás todo lo que conoce y ama. ¿Por qué? Porque tendrá que enfrentarse a seis Fieras en un reino en el que nunca había estado antes. ¿Estará dispuesto a hacerlo o decidirá no arriesgarse con esta nueva misión? No se imagina que en este lugar viven personas a las que le unen varios lazos y un nuevo enemigo dispuesto a acabar con él. ¿Sabes quién puede ser ese enemigo?

Sigue leyendo para saber qué va a pasar con tu héroe...

Velmal

PRÓLOGO

—¡Lo conseguí! —exclamó Briel mientras llegaba a la cima de la Montaña del Norte. Desde allí arriba podía ver el pueblo de Tión que se extendía por el valle.

Se detuvo para recuperar la respiración y descansar sus doloridas piernas. Unas cabañas de piedra con el tejado de paja se alineaban en los caminos polvorientos que unían las impresionantes Montañas del Norte y del Sur que se alzaban sobre el pueblo.

Era un día de mercado. Briel sabía que

los mercaderes del norte de Gwildor iban de camino a Tión.

Oyó unos balidos detrás de él. Miró por encima del hombro y vio el rebaño de cabras que había traído desde el pueblo cercano de Kewas. El trabajo de Briel era asegurarse de que ningún animal se perdiera durante la peligrosa travesía a través de las montañas.

Volvió a mirar Tión. El recuerdo de su hermana cocinando hizo que le sonaran las tripas. Después de una semana de no comer más que pasteles de miel, necesitaba un buen pollo asado.

—No sé qué hago perdiendo el tiempo —se dijo—. ¡Tengo que regresar a casa!

Mientras avanzaba con grandes pasos, oyó un ruido sordo, como de dos rocas chocando. Sintió unas vibraciones por debajo de los pies. Se detuvo, ladeó la cabeza y escuchó atentamente.

De pronto, oyó unas voces débiles más abajo.

—¡Corre! ¡Escápate!

Briel volvió a subir a la cima de la montaña para ver mejor. En Tión todo era un caos: los caballos desbocados tiraban a sus jinetes al suelo; las madres y los padres cogían a sus hijos en brazos y salían huyendo; los mercaderes cargaban toda la mercancía que podían llevar en sus brazos. Todos corrían.

Entornó los ojos, intentando desesperadamente localizar a su hermana entre la gente despavorida. ¿Dónde estaba? «Por favor, que esté a salvo», pensó.

De pronto, le llamó la atención una nebulosa que se movía.

—¡Una avalancha! —gritó Briel.

Docenas de rocas empezaron a caer por la Montaña del Sur, se estrellaban contra el suelo y rodaban en todas las direcciones cada vez más rápido. Aplastaban las casas, lanzando astillas de madera y piedras por los aires. Era la avalancha más potente que Briel había visto. De repente, el movimiento de las rocas cesó y todas las piedras se quedaron donde estaban.

—Es como si hubieran decidido detenerse —exclamó sin apenas darse cuenta de que sus cabras corrían y balaban en todas las direcciones detrás de él.

Lentamente, las rocas empezaron a deslizarse por el suelo y se juntaron. El impacto de la unión hizo saltar trozos de roca en el aire. El sonido retumbó en el valle. Las rocas formaron una figura. Unas largas piernas de roca se enderezaron. Estaban unidas a una losa gigante.

Un cuerpo.

Otras rocas se flexionaron a ambos lados del cuerpo. Los brazos. Mientras Briel miraba boquiabierto, una última roca se colocó encima del torso: era la cabeza, que tenía una grieta retorcida formando la boca y dos hendiduras para los ojos. Uno de ellos emitía un extraño brillo verde.

Con un rugido ensordecedor, la cabeza se volvió y la horrible criatura observó la destrucción que había causado en Tión. La luz verde de su ojo derecho palpitaba mientras la masa rocosa extendía un brazo y arrancaba de raíz el único árbol que seguía en pie. Lo lanzó hacia un lado como si fuera una rama. A Briel le temblaba todo el cuerpo mientras observaba cómo la Fiera recorría el pueblo con su mirada de odio.

«Por lo menos, los habitantes de Tión han podido escapar —pensó. Los veía corriendo hacia el suroeste—. Espero que mi hermana esté con ellos.»

Si se daba prisa, podría alcanzarlos y, con un poco de suerte, reunirse con su

hermana. Chascó la lengua para llamar a las asustadas cabras, que se volvieron para seguirlo. Briel decidió que iría por el camino más largo que rodeaba Tión. Era la mejor manera de mantenerse escondido de la Fiera de roca, que ahora sonreía cruelmente al ver el pueblo destrozado. Briel sabía que un solo golpe de sus puños acabaría con él...

CAPÍTULO UNO

UNA NUEVA AVENTURA

—Ojalá las flechas se hicieran solas —dijo Elena—. Sería mucho más fácil.

Tom observaba a su amiga, que estaba sentada en el suelo tallando unas flechas con las ramas de un pino. Tenía la lengua fuera y trabajaba concentrada con el ceño fruncido. Tom sonrió antes de darse la vuelta para admirar las exuberantes llanuras de Gwildor.

Nunca había oído hablar de ese reino hasta que el buen brujo Aduro le contó que tenía que rescatar a seis nuevas Fieras de la maldición de Velmal. Mientras pensaba en el brujo y su diabólica magia, puso una mano protectora encima de su caballo, *Tormenta*. Cerca, el lobo de Elena, *Plata*, miraba sentado a su dueña con atención.

—¿Te puedo ayudar? —preguntó Tom.

Elena sonrió.

—He tardado años en aprender a hacer estas flechas —dijo, burlándose—. Puede que seas el Maestro de las Fieras de Avantia, pero para hacer esto es mejor que me dejes a mí.

—Mi padre es el Maestro de las Fieras —le recordó—. Yo vuelvo a ser Tom.

Tom se sintió orgulloso al recordar la Búsqueda en la que había conseguido salvar a su padre, Taladón, de seguir siendo un fantasma. Para lograrlo, había tenido que recuperar los seis trozos del Amuleto de Avantia que ahora llevaba colgado del cuello.

Cogió el Amuleto. En el centro de uno de sus lados brillaba un círculo de esmalte. En el otro, había tallado un minucioso mapa del reino de Gwildor que le decía por dónde debía ir. En cada nueva Búsqueda, el mapa les indicaba a Tom y a Elena dónde estaba la siguiente Fiera y la recompensa que los ayudaría a finalizar con éxito su nueva aventura. Cuando se enfrentó a *Krab*, el amo del mar, había usado la perla mágica que le daba el poder de respirar debajo del agua. Cuando luchó contra *Halkon*, la flecha del aire, había encontrado un anillo encantado que le permitía hacerse invisible cuando se quedaba quieto.

Hasta ahora, las recompensas habían resultado de gran valor. Pero no eran suyas. Eran de Freya, la Maestra de las Fieras de Gwildor.

—¿Qué ocurre? —preguntó Elena—. Estás frunciendo el ceño.

—Estaba pensando en Freya —contestó Tom—. Era la heroína del reino, y Velmal la convirtió en un ser malvado. Me dijo que no quería volver a ser buena. No lo entiendo.

Elena metió las flechas nuevas en el carcaj antes de colgárselo al hombro y se levantó.

—Eso es el efecto de la magia oscura de Velmal. Una vez que finalicemos esta Búsqueda, a lo mejor Freya vuelve a ser la que era.

—Eso espero —dijo Tom—. Gwildor es el reino gemelo de Avantia. Si acaba sumido en la oscuridad... —No consiguió decirlo. La idea de que la maldad se extendiera por el mar hasta Avantia era demasiado horrible.

—¡Tom! —dijo Elena señalando el amuleto que tenía en la mano. Palpitaba con una luz azul.

El chico lo levantó. Elena se acercó y miró por encima de su hombro. El mapa mostraba dos caminos que iban uno al lado del otro en dirección a la región montañosa del norte de Gwildor. Al final del primer camino había una pequeña imagen de unos guantes. Al final del otro se veían dos montañas impresionantes. Debajo de ellas vieron algo escrito.

—*Rok* —leyó Elena en voz alta—. Ése es el nombre de la siguiente Fiera.

—Sí, pero ¿dónde debe de estar? —mu-

sitó Tom. La Fiera no aparecía en el mapa.

Elena se encogió de hombros.

—¿Acechando en las montañas? —sugirió—. A lo mejor tiene una cueva. Me pregunto qué tipo de Fiera será.

Tom puso una mano en la montura de *Tormenta*.

—Eso no importa ahora —dijo—. Antes tenemos que encontrar los guantes. Ya nos preocuparemos de la Fiera en su momento.

Se subió a la silla.

—¿Lista? —preguntó ofreciéndole una mano a Elena.

La muchacha se subió detrás de él.

—Siempre —dijo riéndose. Sintió los brazos de su amiga en la cintura mientras *Tormenta* salía al trote.

Tom sujetaba las riendas con fuerza, pero notó un dolor intenso en la mano derecha. Miró hacia abajo y vio que todavía tenía la cicatriz verde que le había hecho *Krab*. Lo que era peor: el veneno se había extendido hasta el brazo. Tiró de las riendas de *Tormenta* haciendo que el caballo se detuviera.

—¿Qué pasa? —preguntó Elena.

—Sigo cansado de la última Búsqueda —mintió él para no preocupar a su amiga—. ¿Te importaría llevar las riendas?

La muchacha le dio un golpecito en las costillas de broma mientras se cambiaban de sitio.

—Pero no te vayas a quedar dormido ahí atrás —se burló—, porque tienes que ir mirando el mapa.

—No te preocupes —dijo Tom poniéndose detrás de ella. Intentó ignorar la horrible sensación de temor que tenía en la boca del estómago. La verdad era que le dolía tanto la mano que apenas podía sujetar las riendas.

Mientras *Tormenta* avanzaba, una pregunta le empezó a dar vueltas en la cabeza y no conseguía dejar de pensar en ello.

«¿Qué pasará si no puedo sujetar la espada?» Si Tom no podía luchar, la Búsqueda de Fieras habría llegado a su fin.

CAPÍTULO DOS

LA NUBE NEGRA

—A *Tormenta* le resulta muy difícil andar por aquí —dijo Elena a medida que el terreno descendía peligrosamente y los cascos del caballo se resbalaban—. El suelo es demasiado irregular.

Tom miró hacia delante. Habían cabalgado durante mucho tiempo y ahora se encontraban en la sierra montañosa. El cielo tenía un color azul intenso y los picos nevados emitían una brillante luz blanca. Pero el camino era demasiado empinado.

—Tienes razón —dijo desmontando—. Será mejor que vayamos andando. *Rok* podría estar por aquí, escondido en cualquier lugar. Si vamos despacio, a lo mejor conseguimos distinguir algún movimiento repentino.

Sujetó las riendas con su mano herida y llevó al caballo por la pendiente rocosa. *Plata* iba delante de ellos, con la nariz levantada en el aire. Pronto llegaron a una meseta rocosa, un lugar que parecía bastante seguro para descansar. El sol estaba en su punto más alto y el fino aire de la montaña era tan caliente que Tom notaba las gotas de sudor que le caían por la sien.

—Es precioso —dijo Elena mirando desde el borde de la meseta. A lo lejos, el valle se perdía en las montañas. La hierba era de un color verde intenso y los manantiales brillaban bajo la luz del sol—. Resulta muy extraño que en

un lugar tan bonito haya tanta... maldad.

—Las Fieras volverán a ser buenas
una vez que las liberemos de la magia
de Velmal —dijo Tom.

—No me refería a las Fieras —replicó Elena sacando un poco de pan y queso de las alforjas de *Tormenta*—. Me refiero a Velmal y a Freya.

—Freya se salvará. Estoy convencido —dijo Tom. Sintió una punzada de dolor en el corazón. ¿Por qué le importaba tanto lo que le pasara a Freya? Ya había conocido a mucha gente sometida a la magia malvada durante sus Búsquedas. ¿Por qué le daba la sensación de que esa mujer era diferente a los demás?—. Liberaré a Freya de la magia de Velmal, igual que a las Fieras —dijo con determinación y voz temblorosa.

Elena lo miró.

—Tom. ¿Por qué....?

—Vamos a comer algo —la interrumpió él—. Después tenemos que encontrar los guantes, y no lo conseguiremos si nos quedamos aquí sin hacer nada.

Tom y Elena siguieron viajando durante el resto del día, pero cuando se hizo de noche, sabían que no les quedaba otro remedio que descansar. Elena se quedó dormida debajo de un saliente rocoso, mientras Tom sentía que la frustración le envolvía. De momento no habían visto ni rastro de la Fiera, lo que significaba que él no estaba más cerca de completar su Búsqueda.

No podía conciliar el sueño. Le resultaba muy difícil ignorar el intenso y constante dolor de la mano, y la cabeza le daba vueltas con miles de preguntas.

«Si no consigo dormirme pronto —pensó—, estaré demasiado cansado para salvar a *Rok*.» Recordó un truco que le había enseñado su tío Henry para ayudarlo a dormir en noches como ésa.

—Mira las estrellas e intenta contarlas —le había dicho su tío.

Tom se quitó la espada que llevaba a la cintura y la puso a un lado en el suelo. Se tumbó mirando al cielo nocturno. Había tantas estrellas que tardaría toda su vida en contarlas.

—Una... dos... tres... cuatro —empezó—. Doscientas una... doscientas dos...

Los párpados le pesaban demasiado para mantenerlos abiertos. Lo último que vio fue una estrella fugaz que cruzaba el cielo.

—¡Tom! —gritó Elena despertándolo de su sueño. El muchacho abrió los ojos, se sentó y vio que *Tormenta* estaba a su lado.

«Seguramente ha estado de guardia toda la noche para protegerme», pensó.

Tenía suerte de tener un caballo tan leal. Al otro lado de la hoguera apagada vio a su amiga recogiendo las cosas con mucha prisa.

—¿Qué pasa? —preguntó.

—¡Se acerca una tempestad! —contestó Elena metiendo las mantas en las alforjas de *Tormenta*.

Tom se puso de pie. Mientras observaba el valle notó que su cansancio había desaparecido. A lo lejos, los árboles se movían mientras una gran nube negra avanzaba por el cielo hacia ellos.

—Eso no parece una tormenta normal —dijo sintiendo un poco de miedo en el estómago.

Elena se acercó, protegiéndose los ojos del sol con la mano.

—Tienes razón, Tom —dijo—. Pero no...

Las palabras de Elena se desvanecieron a medida que la nube negra giraba en el horizonte sobre el valle. Iba directa hacia ellos y se movía más rápido que cualquier cosa que Tom hubiera visto.

—Son murciélagos —susurró Tom.

Cientos de murciélagos se movían en masa aleteando y gritando sin dejar de avanzar. En unos instantes estaban encima de los dos amigos. Formaban círculos en el aire y los observaban esperando. Las rachas de viento que creaban con sus correosas alas movían el pelo de Tom y Elena y les hacían llorar. *Tormenta* y *Plata* se habían quedado inmóviles, sin saber muy bien hacia dónde ir. *Plata* aullaba desesperado.

—¡Tom! —gritó Elena. Su voz casi se pierde con el viento—. ¡Mira sus ojos!

El chico ladeó la cabeza y miró. Los ojos de los murciélagos emitían un brillo salvaje y rojo. Tom apretó los puños de rabia. Sabía lo que quería decir eso.

—¡Los ha enviado Velmal! —gritó.

Elena se puso blanca de miedo. Eran murciélagos diabólicos que no se detendrían con nada y estaban a punto de atacarlos. ¿Cómo iban a salir de ésta?

CAPÍTULO TRES

LA VOZ DEL BRUJO OSCURO

Tom intentó coger la empuñadura de su espada, pero sus dedos se cerraron en el aire.

—¡No! —gritó mirando al otro lado de la hoguera donde brillaba su arma inútilmente tirada en el suelo—. ¡No tengo la espada!

—¡Voy a cogerla! —dijo Elena—. Yo estoy más cerca. —Se acercó hasta el lugar donde había dormido su amigo. Inmediatamente, uno de los murciélagos salió de su formación en círculo y bajó planeando por el aire listo para clavarle una cruel garra a Elena en la cara.

—¡Elena! —gritó Tom para avisar a su amiga—. ¡Cuidado!

La muchacha levantó las dos manos sobre la cabeza y rodó por el suelo para coger la espada de Tom. El murciélago

aterrizó en su brazo y le clavó las uñas en la carne. Elena lanzó un grito de agonía y Tom vio que le salían dos pequeños chorros de sangre donde el murciélago le había clavado las uñas. Intentó correr hacia ella pero la marabunta de murciélagos descendía chillando.

Sus correosas alas chocaban contra el cuerpo de Tom y sus patas se le enredaban en el pelo. Se puso de rodillas intentando apartar a los murciélagos.

—¡Fuera! —gritó. Pero era imposible.

Miró hacia arriba y vio que Elena trataba de desprenderse del murciélago que seguía enganchado en su brazo herido. Su amiga tiró la espada al suelo haciendo ruido y le dio una patada a la empuñadura para que se deslizara por la tierra. La espada se detuvo a los pies de Tom.

Él la cogió con la mano derecha y casi la vuelve a soltar con un grito de dolor.

Se miró la mano y vio que tenía los dedos muy hinchados y que la cicatriz verde estaba más oscura. ¡El veneno se le había metido en la sangre! «Pero Elena me necesita», pensó con desesperación. No podía rendirse por el dolor.

Todos sus amigos lo necesitaban. *Tormenta* pateaba el suelo y movía la cabeza hacia los murciélagos que sobrevolaban por encima. *Plata* gruñía mientras saltaba y cerraba las mandíbulas en el aire. Las alas de los murciélagos rozaban su cabeza.

Cogió la espada con ambas manos y empezó a blandirla de un lado a otro y arriba y abajo. No se detuvo. Notaba cómo el filo de su arma chocaba contra las alas y los cuerpos peludos. Le dolían los músculos por el esfuerzo de mantener la espada por encima de la cabeza, pero no podía dejar de luchar contra la nube negra de sus enemigos. Por fin, el

enjambre de murciélagos se desperdigó chillando de miedo y rabia. Se acercó corriendo a Elena. Le salía bastante sangre de la herida del codo.

—¡Lárgate de aquí! —le gritaba al murciélago que seguía enganchado en su brazo.

Tom gritó y blandió la espada. El murciélago chilló y se soltó del brazo de Elena. Se unió al resto de murciélagos que se alejaban en una nube negra palpitante, llenando el aire con sus chillidos. Por fin se hizo el silencio y los murciélagos desaparecieron. Pero ¿por cuánto tiempo?

El chico ayudó a Elena a levantarse. *Plata* se acercó a su dueña aullando ansiosamente.

—No pasa nada —dijo la muchacha acariciando la cabeza del lobo—. Estoy bien.

Tom no estaba tan seguro.

—El espolón del fénix te curará las heridas —le dijo inspeccionando el brazo de Elena. Los cortes eran profundos.

—Eso tendrá que esperar —contestó ella señalando al cielo.

Tom miró hacia arriba. Los murciélagos estaban volviendo. Dibujaban círculos en el aire, lenta y amenazantemente, con su silueta destacada contra el cielo de la mañana.

Levantó la espada.

—¡Venid y luchad! —gritó.

Una voz baja y malvada sonó en el viento. Los dos amigos se miraron.

—Velmal —susurró débilmente Elena.

—¡Da la cara! —gritó Tom.

El brujo oscuro se rió.

—¿Realmente crees que voy a perder el tiempo luchando contigo? Vas a necesitar algo más que una espada para superar tu próximo reto.

—Mientras la sangre corra por mis venas —gritó Tom—, venceré. Y cuando libere a la última Fiera, ¡iré a por ti!

La risa del brujo se hizo más fuerte y el enjambre de murciélagos formó una fila larga y estrecha.

—Estoy deseando que llegue ese día —dijo Velmal—. Hasta entonces...

Con un chillido ensordecedor, la línea de murciélagos se lanzó hacia delante. Tom levantó la espada y notó el golpe de las alas y las garras. Era todo lo que podía hacer para mantenerse de pie. Después, los murciélagos volaron por todo su campamento y desaparecieron en el horizonte.

El silencio era casi asfixiante. Tom envainó la espada y miró a Elena, que estaba consolando a *Plata*.

—Es la última vez que dejo la espada fuera de mi alcance —prometió.

—Estamos vivos —dijo Elena—. Eso es lo más importante. —Su voz se apagó. Miraba algo detrás de Tom—. Tom —susurró levantando la mano para señalar. El chico se volvió sobre sus talones.

—¡*Tormenta*! —gritó corriendo al ver su caballo. A *Tormenta* le temblaban las patas y movía los flancos con fuerza. Tenía los ojos en blanco.

—¿Qué le pasa? —preguntó Elena. Palideció al acercarse al caballo.

—¡Oh, no!

—¿Qué pasa? —repitió Tom. Elena pasó los dedos por el pelaje negro del cuello de *Tormenta*. Tom vio dos puntos rojos del tamaño de los dientes de un murciélago. Eran heridas frescas y rojas.

Sintió que la rabia le subía por el pecho.

—A *Tormenta* le ha mordido un...

CAPÍTULO CUATRO

SALVAR A
TORMENTA

—¿Estará envenenado? —preguntó Tom. Elena miró las heridas.

—No hay manera de saberlo —dijo.

Tom observó los ojos del caballo. No habían perdido su brillo ni estaban vidriados. Sus patas habían dejado de temblar y recuperaba su respiración normal. *Plata* corría alrededor de *Tormenta*, aullando con preocupación.

—Lo sabremos más adelante —dijo

Elena—. Si sigue mejorando, sabremos que era una mordedura normal. Grave, pero no venenosa. Espero que se recupere.

Tom cogió su escudo. Sacó el espolón del fénix que le había regalado *Epos*, el pájaro en llamas, una de las Fieras buenas más viejas de Avantia, y lo acercó a las heridas de *Tormenta*. Las cicatrices rojas palpitaron durante un momento y después se hicieron más pequeñas. En poco tiempo habían desaparecido completamente.

—Muy pronto te pondrás bien, muchacho —susurró Tom acariciando el flanco de *Tormenta*.

—¿No se te olvida algo? —preguntó una voz.

Tom se volvió y vio a Elena sujetándose el brazo herido y sonriendo.

Su amigo le sonrió y usó el espolón para curarla.

—La próxima vez —dijo—, si me alejo demasiado de mi espada, seré yo el que vaya a buscarla.

—Trato hecho —dijo Elena—. Y entonces, los murciélagos te clavarán a ti sus garras.

Después de recoger el campamento, llevaron a *Tormenta* por el camino. No querían subirse encima hasta que se recuperara del todo. El cielo estaba casi oscuro encima de las montañas altas y escarpadas. Por delante de ellos, *Plata* saltaba alegremente y se detenía de vez en cuando para olisquear el aire.

Tom miró el mapa del amuleto.

—Estamos cerca de los guantes —le dijo a Elena—, pero el camino se vuelve a hacer empinado. Por aquí.

Guió a *Tormenta* hacia la izquierda. Elena silbó a *Plata* para que se acercara a ellos cuando llegaron a la base de otro camino rocoso. Era incluso más empinado e inseguro. Comenzaron el ascenso y Tom sentía que le quemaban las piernas. A su lado, Elena respiraba con dificultad.

—¿Soy yo o es que en este lugar no hay aire? —preguntó Elena.

Tom asintió.

—El aire se hace más fino a medida

que subimos —dijo—. Pero no te preocupes. La meseta donde se supone que están escondidos los guantes ya está muy cerca. Allí podremos descansar.

Elena se agachó para acariciarle la cabeza a *Plata*. El lobo tenía la lengua fuera. Parecía agotado.

—Ya falta poco, te lo prometo —dijo con voz suave.

Tom acarició las crines de *Tormenta*. Apartó la mano y se quedó sorprendido al ver que se le habían quedado los pelos pegados a la palma. ¿Estaría su caballo envenenado? Se volvió hacia Elena y le mostró la mano. Elena abrió los ojos sorprendida.

—Será mejor que terminemos esta Búsqueda cuanto antes —dijo—, por el bien de *Tormenta*.

Llegaron hasta una pared de piedra donde el amuleto les había indicado que encontrarían los guantes. No les quedaba otra opción: tenían que escalarla.

—Yo iré primero —dijo Tom—. Si es demasiado peligroso, prefiero que te quedes aquí.

—Estaré bien —dijo Elena—. No pienso dejar que vayas solo.

Tom se sentía orgulloso de tener una amiga tan valiente.

Se colgó el escudo al hombro y empezó a escalar con mucho cuidado. En la pared lisa le costaba trabajo encontrar grietas donde pudiera meter las manos y los pies y apoyar el peso de su cuerpo. Siguió avanzando poco a poco y oyó a Elena que lo seguía.

Por fin, Tom llegó a una grieta lo suficientemente ancha como para meter el brazo. Sintió una oleada de emoción en el estómago. Seguro que los guantes estaban allí. ¡Era el escondite perfecto! Metió el brazo por la abertura hasta el hombro. Con los dedos recorrió el agujero de izquierda a derecha, pero sólo encontró polvo y piedras.

—¿Hay algo? —preguntó Elena.

El chico miró hacia abajo. Notó que le caía sudor por la frente y tenía la cara roja del esfuerzo de la escalada.

—No —dijo—, pero no debe de estar lejos.

Empezó a trepar de nuevo. Sentía los brazos y las piernas más débiles. Le temblaban los dedos y debía tener mucho más cuidado con cada movimiento o se caería. Los brazos le ardían y tenía el pelo empapado de sudor.

Oyó un ruido por encima y se quedó totalmente inmóvil. Miró hacia arriba y casi se suelta al ver un pequeño trozo de roca que pasaba rodando a su lado. Se asomó desde la pared para ver de dónde había salido.

Desde lo alto de la montaña descendía un hombre alto de pelo cano que vestía una túnica gris muy raída.

Tom miró hacia Elena.

—Regresa —susurró.

—¿Por qué? —preguntó Elena frunciendo el ceño.

Tom miró al hombre que se acercaba.

Tenía la espalda arqueada y una expresión malvada en la cara. No podía permitir que los viera. No quería que nadie se interpusiera en su Búsqueda.

—¡Viene alguien! —susurró.

CAPÍTULO CINCO

EL RISCO
DE LA MUERTE

Tom y Elena empezaron a descender con mucho cuidado hacia el lugar donde habían dejado a sus animales. Elena se apoyó en un trozo de roca, pero ésta se partió y la muchacha cayó un corto trecho hasta el suelo. Cuando se puso de pie, Tom ya estaba a su lado.

—¿Estás bien? —preguntó.

—Sobreviviré —contestó su amiga jadeando mientras recogía su arco y sus

flechas—. No ha sido una gran caída.
—Miró hacia la montaña—. ¿Era Velmal otra vez?

Tom negó con la cabeza.

—No. Era alguien a quien nunca había visto antes.

La cara del hombre apareció asomán-
dose desde una roca y mirando hacia
abajo. Tom puso la mano en la empuñadura de su espada para prepararse. No
podían esconderse en ningún lado.

—Nunca había visto a un señor tan
viejo escalar tan alto —susurró Elena.

—Yo tampoco —asintió Tom sin apartar la vista de la cara del hombre.

Vieron cómo descendía por la pared.
Cuando llegó a la meseta donde estaban los amigos, se volvió hacia ellos.

—¡Saludos, forasteros! —exclamó. Era
viejo, pero de cerca parecía muy fuerte.
Los señaló con el dedo—. ¿Quiénes
sois?

Tom levantó las manos en son de paz.

—Somos viajeros —dijo—, vamos hacia el norte.

El viejo se cruzó de brazos y frunció el ceño. Tenía la cara llena de grietas, como las montañas.

—Eso es una estupidez —dijo—. Allí ya no queda nada desde la avalancha de Tión. Todo el mundo se ha largado. ¡Hasta yo! Las montañas siempre habían sido mi hogar, pero ya no son un lugar seguro.

—No sé nada de Tión —dijo Tom—. Nosotros estamos... buscando algo.

Sintió que el corazón le latía con fuerza. Sabía que sonaba muy sospechoso, pero Aduro le había advertido hacía mucho tiempo que era mejor que no le hablara a nadie de su Búsqueda de Fieras.

El hombre le clavó la mirada.

—Aquí no hay nada que buscar —dijo.

—Dígame, por favor —dijo Elena—. Si alguien quisiera esconder algo en este lugar, ¿dónde lo pondría?

El hombre arrugó su agrietada frente.

—¿Qué estáis buscando?

—Algo importante —dijo Tom esperando que no le hiciera demasiadas preguntas.

El hombre dio media vuelta.

—Allí —dijo señalando un saliente rocoso por encima de ellos—. Eso que veis —continuó— es el Risco de la Muerte. Si hay algo bien escondido, está allí. Por la noche a veces se puede ver el brillo dorado que sale del risco. Pero seríais unos necios si intentarais trepar hasta allí. Un solo paso en falso, un pequeño error, y estaréis muertos.

—Gracias —dijo Tom observando el risco. ¿Cómo conseguiría llegar hasta ahí?

—¿Queréis mi consejo? —dijo el viejo bajando la colina—. Regresad ahora.

Pronto desapareció por el camino de la montaña.

Elena señaló el Risco de la Muerte.

—No puedes trepar por él. Es imposible.

Tom tomó aire con fuerza.

—No hay nada imposible —contestó intentando convencerse a sí mismo tanto como a Elena—. Esta vez iré solo. Tú te quedarás con *Plata* y *Tormenta*. Es lo mejor que puedes hacer para ayudar ahora.

Elena dudó y después asintió.

—Ten cuidado —dijo mientras su amigo se acercaba a la pared rocosa.

Tom empezó a trepar lenta y cuidadosamente. Le dolían los brazos y apenas podía sujetarse con la mano derecha, pero tenía que encontrar los guantes. El Risco de la Muerte formaba una sombra a su derecha y ajustó su escalada para avanzar en diagonal. Elena y los animales ahora estaban tan lejos que no los podía ver. Le temblaban los brazos, pero esta vez era del aire frío que soplaba en esa parte tan alta de la montaña.

«Sigue —se dijo a sí mismo—. Aguanta.»

Ahora no sólo trepaba para conseguir finalizar su misión, también lo hacía para salvar su propia vida.

A medida que se acercaba al Risco de

la Muerte, se le encogió el estómago. El saliente sobresalía sobre un precipicio espeluznante. La niebla y las nubes impedían ver lo que había abajo, y tampoco quería averiguarlo.

«Un poco más.»

Estaba a tan sólo un metro del borde del risco, pero la superficie de la roca

era suave como el hielo y no tenía dónde agarrarse. Si quería llegar al Risco de la Muerte, debía saltar.

Aguantó la respiración y pegó una patada para darse impulso y saltar hacia el saliente. El viento aulló en sus oídos y sintió que su cuerpo no pesaba. Durante un momento le pareció que estaba volando.

«¡Ay!» Tom se quedó sin aire cuando su cuerpo chocó con el borde del salien-

te. Movió los dedos desesperadamente para intentar agarrarse a algo mientras sus piernas colgaban sobre el vacío. Apretó los dientes y, con un gran esfuerzo, consiguió levantar una pierna y ponerse a salvo. Se tumbó boca arriba, respirando con fuerza mientras miraba el brillante cielo azul. Se sentía tan aliviado que soltó una carcajada.

«Concéntrate —pensó—. No hay tiempo que perder.»

Tom se sentó y empezó a estudiar el Risco de la Muerte. Pasó los dedos por la pared de la montaña, apartando las piedras sueltas de las grietas y de las fisuras.

—Los guantes tienen que estar aquí —murmuró—. Seguro que están muy bien escondidos.

Sacó la espada y metió la punta en las grietas para apartar la tierra y las piedrecitas. Nada. Se acercó a otra grieta.

Tampoco vio nada. Pero al tercer intento...

—¡Aquí está! —exclamó mientras sacaba con mucho cuidado la espada de la grieta. A través de la abertura vio que se trataba de una caja dorada que estaba escondida profundamente. Metió las manos y tiró de ella, arañando los lados de la caja contra las paredes del hueco, pero por fin consiguió sacarla. Era de oro macizo labrado, lo suficientemente pequeña para sujetarla con una sola mano, pero casi tan pesada como su espada.

¡Crac! De pronto, Tom notó que su cuerpo se inclinaba hacia delante y tuvo

que apretar la caja contra su pecho para no perderla. Se oyó otro crujido intenso. El sonido retumbó en el aire.

—¿Qué está pasando? —gritó Tom. Miró hacia abajo y vio que en el saliente había aparecido una red de grietas dentadas. La tierra temblaba y se inclinaba bajo sus pies.

¡El Risco de la Muerte se estaba desmoronando!

CAPÍTULO SEIS

LA CAÍDA

El saliente rocoso estalló como un cristal. Tom empezó a caer sin dejar de sujetar la caja. Daba vueltas por el aire. Movía desesperadamente los brazos y las piernas para recuperar el control, pero era inútil.

«Me voy a matar», pensó. Muy a lo lejos oía los gritos apagados de Elena.

Tenía que quitarse el escudo. La pluma del águila *Arcta* era lo único que podría salvarlo.

Giró el cuerpo para poner los pies por delante. Por fin consiguió descolgarse el escudo que llevaba a la espalda y colocarlo por encima de su cabeza. Inmediatamente notó cómo empezaba a perder velocidad y a balancearse en el aire. Mientras descendía, sujetaba con fuerza la caja de oro contra su pecho.

Desde lo alto, divisó un pueblo desierto al norte de Gwildor. Sabía que tenía que ser Tión, el lugar que había mencionado el viejo. Las casas y los árboles estaban destrozados. No se veía ni una sola persona.

Aterrizó lentamente cerca de Elena y los animales. Su amiga corrió hacia él seguida de *Plata*. *Tormenta* se quedó donde estaba con la cabeza agachada.

—¡Conseguiste sobrevivir a la caída! —dijo la muchacha, aliviada.

—Por supuesto que lo conseguí —dijo Tom, aunque sabía que había tenido mucha suerte.

—¿Están ahí los guantes? —preguntó Elena con los ojos muy abiertos al ver la caja de oro. Tom la levantó.

—Creo que sí —dijo sonriendo—. Todavía no la he abierto.

—Pues ábrela —dijo Elena—. Es preciosa. Seguro que dentro hay algo bueno.

Tom se rió y asintió. Pasó las manos por encima de la caja, admirando los diseños labrados en el precioso metal. Notó algo áspero por debajo de la caja. Le dio la vuelta. En la parte de abajo había una imagen tallada de una armadura que Tom hubiera reconocido en cualquier lugar: era igual que la Armadura Dorada del Maestro de las Fieras de Avantia. A su lado había otra armadura tallada, más pequeña, con pinchos en los guanteletes y lo que parecían joyas incrustadas en las piezas de los brazos.

—No lo entiendo —dijo Elena—. ¿Por qué hay una imagen de la armadura de tu padre en una caja en Gwildor?

Tom se quedó pensando mientras estudiaba la segunda armadura.

—Todas las recompensas que están escondidas en Gwildor son de Freya —murmuró—. A lo mejor la otra armadura también es de ella. Las dos armaduras podrían simbolizar la unión entre Avantia y Gwildor.

Tom volvió a darle la vuelta a la caja. Había llegado el momento de abrirla y encontrar su siguiente recompensa. La tapa se abrió con un crujido y reveló un par de guantes que no se parecían a nada que él hubiera visto antes.

Elena se inclinó para mirarlos.

—Parecen tan... frágiles —susurró.

Tenía razón. Los guantes eran de color plateado y tan finos que se veían casi transparentes. Parecían estar hechos de seda de telarañas. A Tom casi le daba miedo tocarlos.

Sacó los guantes de la caja con toda la delicadeza que pudo. Elena sujetó la caja mientras su amigo metía los dedos de la mano derecha en uno de los guantes, temblando al sentir el suave tacto con su piel. Después se puso el otro.

Eran ligeros como el aire, pero cuando se los puso en las manos, a Tom le pareció que salía una energía de ellos. Hasta le pareció que tenía mucha fuerza en su mano herida.

Flexionó los dedos y formó puños con las dos manos. Pero cuando intentó volver a abrirlas, ¡los dedos se le habían pegado a las palmas!

—¡Estos guantes son... muy pegajosos! —gruñó. Tuvo que usar todas sus fuerzas para conseguir abrirlas. Miró a Elena, que tenía las cejas levantadas y lo miraba sorprendida y con curiosidad.

—Eso puede ser un problema —dijo Elena.

—O puede resolverlos —contestó Tom al darse cuenta de para qué servían los guantes—. Con estos guantes puedo trepar a cualquier lugar. Si *Rok* está escondido en las montañas, los guantes me ayudarán a llegar hasta él.

Los ojos de Elena brillaron.

—Es increí...

Su voz se vio interrumpida por un sonido fuerte. Miraron en la dirección de la que venía el ruido y Elena se quedó sin aliento. Tom notó que el corazón le latía con fuerza.

Tormenta se había desplomado.

CAPÍTULO SIETE

¿UNA FIERA INVISIBLE?

Los dos amigos corrieron hasta donde estaba el caballo tumbado en el suelo, con las patas dobladas por debajo del cuerpo. Una vez cerca, Tom vio que le habían salido calvas por todo el cuerpo. Oía su respiración débil y entrecortada y olía su sudor mientras el caballo se intentaba mover incómodo.

Elena le levantó un párpado para mirar la parte blanca del ojo. Tom vio que estaba muy amarilla.

—Ahora ya lo sabemos —dijo Elena con la voz entrecortada—. El mordisco del murciélago al final sí era venenoso.

—¡Tiene que haber algo que podamos hacer! —dijo Tom.

Elena movió la cabeza. En sus ojos se reflejaba la desesperación.

—Si pudiéramos encontrar un sauce, podría hacer una medicina con la corteza, pero no he visto ninguno en Gwildor.

Tom notó que se le encogía el estómago.

—Yo tampoco —dijo—. No, espera, vi uno...

Cerró los ojos. En su mente se dibujó la imagen de unos árboles partidos. ¿Dónde los había visto? ¡Claro, en Tión!

—En Tión hay sauces —dijo—. Estoy seguro. Los vi mientras me estaba cayendo del risco.

—Espero que las medicinas de Gwildor den los mismos resultados que las de Avantia —contestó Elena poniéndose de pie.

—Iré yo —dijo Tom quitándose los guantes de Freya—. Tú quédate cuidando a...

Con un fuerte relincho, *Tormenta* echó la cabeza hacia atrás e intentó incorporarse. A pesar de que el veneno corría por sus venas, el caballo levantó la cabeza con orgullo.

—Está luchando contra el veneno —dijo Tom con una sensación de orgullo en el pecho—. Quiere seguir con la misión.

—Creo que deberíamos escucharlo —dijo Elena—. *Tormenta* sabe si puede seguir. —Cogió las riendas y se preparó para caminar con el caballo.

Tom guardó los guantes en las alforjas y le dio una palmadita al caballo mientras se ponían en camino.

—Debemos ir rápidamente a Tión —le dijo a Elena—. Allí encontraremos la cura para *Tormenta*... y a la siguiente Fiera.

Caminaron todo lo rápido que podían, con *Plata*, como siempre, trotando por delante. *Tormenta* de vez en cuando aligeraba la marcha y se ponía al trote, y Elena y Tom corrían a su lado. Ninguno de los dos quería subirse al caballo porque estaba muy débil. Tom se preguntó si el caballo sabría lo enfermo que estaba e intentaba ganarle la carrera al veneno.

—¡Oh, no! —exclamó Elena de pronto.

—¿Qué pasa? —preguntó Tom.

—La caja de oro —dijo—. La hemos dejado atrás.

—No importa —contestó el chico—. Tengo los guantes. La caja es de Freya. Algún día la encontrará, estoy seguro.

Tom observó las puertas de entrada a Tión. Su mirada recorrió las cabañas destrozadas, los restos de los tejados rotos y los árboles reducidos a astillas. Alrededor del pueblo vacío se alzaban las montañas. Sólo una avalancha podía haber causado tanta devastación, pero no veía rocas por ningún lado.

—A lo mejor no fue una avalancha —dijo pensando en voz alta—. A lo mejor la Fiera ha estado aquí.

Elena asintió.

—Eso explicaría por qué no hay nadie.

—Vamos —dijo Tom—. Tenemos que encontrar los sauces. Podemos llevar a *Tormenta* a una de las cabañas que siguen en pie y ver si podemos curarlo.

Tom agarró las riendas de *Tormenta* para adentrarse en Tión. Volvió a sentir el dolor de su mano herida. Llevó a *Tor-*

menta hasta la casa más cercana y el caballo bajó la cabeza obedientemente para entrar por la puerta delantera. En el extremo de una mesa, había un desayuno a medio comer con huevos y un vaso de leche. Al otro lado, había una cama deshecha.

—La gente tuvo que salir huyendo rápidamente —observó Elena mirando a su alrededor.

Mientras Tom dejaba a *Tormenta* en la casa, un ruido muy fuerte sonó por encima de ellos, asustando al caballo y haciendo que *Plata* ladrara ansioso. A Tom le cayó polvo encima de los hombros y cuando miró hacia arriba descubrió que el techo estaba cediendo. Una lluvia de paja les cayó encima. Tom y Elena se pegaron a la pared y *Plata* se escondió detrás de las piernas de Elena. *Tormenta* relinchó débilmente y consiguió trotar hasta una esquina de la cabaña en ruinas.

Algo largo y marrón apareció en medio de la cabaña: ¡un inmenso brazo de piedra! ¡Había hecho un agujero en el tejado de la cabaña!

Rok.

—¡Salgamos de aquí! —exclamó Tom desenvainando la espada.

Elena cogió a *Plata* por la piel del cuello mientras su amigo salía corriendo hacia *Tormenta*. El caballo estaba paralizado de miedo. Cuando Tom cogió las riendas, oyó un ruido bajo, un chirrido que sonaba casi como un rugido, seguido de un *fuuuus*. Se imaginó el brazo echándose hacia atrás para tomar impulso y golpear de nuevo.

—¡CUIDADO! —le gritó a Elena.

Salieron piedras y paja volando en todas las direcciones. La Fiera había arrancado lo que quedaba del tejado de la cabaña.

Tom se agachó y se puso las manos

encima de la cabeza. Una lluvia de polvo y escombros cayó sobre él. No veía nada y apenas podía respirar. Tenía los ojos, las orejas y la nariz taponados por el polvo. En el cuerpo se le clavaron astillas y rocas rasgándole la piel. Se llevó la mano al hombro y sintió que una de las heridas se estaba hinchando. «El dolor tendrá que esperar —pensó—. Ahora tengo una Búsqueda que completar.»

Todo se quedó quieto. Tom se levantó,

con el polvo todavía cayendo sobre él, y miró a su alrededor. Elena estaba a salvo y parecía una silueta fantasmal cubierta de polvo.

—¿Qué ha sido eso? —preguntó.

Tom notó que los nervios se apoderaban de él mientras levantaba la espada.

—*Rok* —dijo quitándose el escudo de la espalda—. Tiene que ser él.

Elena fue a su lado.

—Pero ¿dónde está?

Tom lo buscó. Donde antes se encontraban las paredes de la cabaña, ahora tenían una vista perfecta de las montañas, pero no había ni rastro de la Fiera. Se había ido tan rápido como había llegado.

El muchacho bajó la espada y frunció el ceño.

—No lo entiendo —dijo—. *Rok* ha desaparecido.

CAPÍTULO OCHO

LA BATALLA

—¿Cómo puede desaparecer una Fiera así, de repente? —preguntó Elena saliendo de la cabaña destrozada.

—A lo mejor la invisibilidad es uno de los poderes especiales de *Rok* —musitó Tom.

Elena movió la cabeza y sonrió sombríamente.

—Pues eso no es justo —dijo.

Detrás de ellos, *Tormenta* relinchó débilmente. Los dos amigos se dieron la vuelta para ver al caballo. *Plata* estaba a su lado, cubierto de polvo. El lobo se sacudió, pero *Tormenta* se quedó inmóvil, sin importarle el polvo que cubría su pelaje.

—*Tormenta* está perdiendo la batalla —dijo Elena—. ¡Necesitamos la corteza de sauce cuanto antes!

Tom sintió una oleada de rabia. ¿Cómo iban a salvar a *Tormenta* y vencer a *Rok*, que podía atacar por sorpresa en cualquier momento?

—¡Maldito seas, Velmal! —gritó levantando un puño al cielo.

—No te preocupes, Tom —dijo Elena señalando un grupo de sauces a poca distancia—. ¡Mira!

La muchacha salió corriendo hacia los árboles mientras sacaba su cuchillo de caza. Tom se quedó con *Plata* y *Tormenta*, con la espada y el escudo listos y la mirada alerta a cualquier señal de la

Fiera. Sentía que el miedo le subía por la espalda.

«Puede que yo no vea a *Rok* —pensó—, pero eso no quiere decir que él no me esté viendo a mí.»

Apenas se dio cuenta de que Elena había llegado hasta un sauce partido cuando volvió a oír el mismo sonido bajo y el chirrido que había oído antes. *Rok* estaba cerca, pero ¿dónde?

—Sal —susurró Tom—. Da la cara.

—¡TOM!

Al oír el grito de Elena, Tom giró sobre sus talones. *Tormenta* relinchó y *Plata* aulló asustado. La ladera de la montaña más cercana parecía estar retorciéndose y se elevaba como si fuera una ola gigante, llevándose a Elena con ella.

¡La Fiera se había puesto al descubierto! Las rocas y los escombros salieron volando por el aire y se juntaron para formar... ¡un gigante de piedra! La inmensa Fiera dio grandes zancadas con sus largas piernas rocosas. Los músculos de sus gruesos brazos era grandes como peñascos, de hecho ¡eran grandes peñascos!

Elena se sujetaba a uno de los brazos de la Fiera con la cara pálida. *Rok* intentó soltarla, pero Elena aguantó. Daba patadas y sus gritos de terror retumbaban en el aire.

Tom fue hacia ellos corriendo, listo para clavarle la espada a la Fiera en la espinilla. *Rok* pegó un pisotón, haciendo temblar la tierra y que Tom perdiera el equilibro. El chico clavó la espada en la tierra para no caerse.

Con un movimiento de su potente brazo, *Rok* consiguió desprenderse de Elena. Tom vio cómo su cuerpo daba vueltas en el aire mientras dibujaba un arco ancho

—¡ELENA! —gritó mientras su amiga

se estrellaba contra el tejado de paja de una cabaña. Se puso de pie y empezó a correr hacia ella, apenas consciente de que *Plata* iba detrás de él.

Llegó a la cabaña. Elena estaba tumbada boca arriba, sin moverse. Tom vio que tenía un golpe en la mejilla izquierda y cortes en el cuello y los brazos, pero estaba respirando. ¡Estaba viva! *Plata* le dio con la nariz a su dueña para intentar despertarla.

—Cuídala —le dijo al lobo—. Yo tengo una Búsqueda que completar.

Una vez que liberara a la Fiera, curaría los golpes y las heridas de su amiga.

Tom se dio la vuelta y salió dando grandes zancadas de la cabaña destruida. No le gustaba la idea de dejar a Elena atrás, pero si no se enfrentaba a *Rok*, todo el reino acabaría destruido.

Tormenta estaba apoyado en la pared de un edificio con la respiración entrecortada. Le temblaba el cuerpo y tenía el pelaje cubierto de sudor.

«Lo siento, amigo —pensó Tom—. Aguanta un poco más.»

Se volvió para enfrentarse a la Fiera.

Rok se alzaba sobre el pueblo en ruinas de Tión. Tom miró a la cara de la Fiera y notó que de uno de sus ojos salía un brillo verde. El chico ya reconocía la marca del veneno de Velmal que mantenía a la Fiera bajo su maleficio. Un polvo verde cayó desde los hombros de *Rok*.

—Ahora estamos tú y yo solos —le dijo Tom a la Fiera—. Cara a cara.

No le importaba si *Rok* lo entendía o no.

La inmensa Fiera juntó los puños con fuerza y el sonido del golpe sonó como si fuera una avalancha.

—No me das miedo —dijo Tom apuntando a la Fiera con la punta de su espada—. ¡Ésta va por mi amiga!

Atacó.

Tom vio que su oponente echaba para atrás sus inmensos brazos de piedra, preparándose para atacar a su vez. Lanzó un grito de batalla y rodó hacia delante para meterse entre los brazos letales. Oyó el estruendo de los puños de *Rok* al chocar con el suelo. Tom se puso de pie de un salto e, ignorando el dolor de su mano herida, blandió la espada con to-

das sus fuerzas hacia la izquierda. Pero la espada rebotó inútilmente en el brazo de *Rok*.

La Fiera se enderezó. Miró con su cabeza de piedra a Tom, que a su vez no dejaba de mirar el brillo verde que salía del ojo de *Rok*.

—Ahí es donde tengo que llegar —murmuró.

Si pudiera conseguir de alguna manera eliminar la fuente de luz verde, estaba convencido de que liberaría a *Rok*. Para eso, tendría que trepar hasta la cabeza de la Fiera. Pero ¿cómo iba a hacer eso? La respuesta le vino a la mente como un rayo.

—¡Los guantes mágicos! —gritó.

CAPÍTULO NUEVE

UNA SORPRESA DESAGRADABLE

Tom corrió hasta la cabaña y sacó los guantes de la alforja de *Tormenta*. Pero al salir, *Rok* avanzaba hacia él dando puñetazos y destruyendo edificios. La Fiera se agachó y pegó otro puñetazo. Tom se apartó justo a tiempo y sintió una lluvia de polvo y piedras sobre sus hombros.

La Fiera no pensaba rendirse. Daba patadas y atacaba, emitiendo gritos de rabia que resonaban y hacían eco en su garganta. Tom saltaba y se agachaba, rodaba por el suelo y lo esquivaba para no acabar aplastado por los puños de piedra. Intentó subirse a la pierna de la Fiera, pero *Rok* era demasiado fuerte y se deshacía de él como si fuera una mosca. Tom aterrizó con fuerza en el suelo polvoriento, cansado y frustrado.

Rok levantó el brazo izquierdo y bajó el puño para aplastar al chico.

—¡No! —gritó éste apartándose del camino. Se lanzó hacia delante y le clavó la espada en una grieta llena de musgo que tenía la Fiera en la pierna, pero *Rok* le dio un golpe con el brazo y lo hizo salir rodando.

Tom se volvió a poner de pie y sujetó la espada por delante. El filo temblaba en el aire mientras él intentaba agarrarla con su mano herida. Un momento de duda pasó por su cabeza.

«¿Seré capaz de conseguirlo?», se preguntó. Necesitaba una táctica para vencer.

Al bajar la espada notó que en el filo habían quedado restos de musgo. Era musgo de la articulación de la pierna de *Rok*, justo donde Tom le acababa de clavar el arma. ¿Serviría ese musgo para unir los miembros del cuerpo de la Fiera como si fuera pegamento? Y si Tom consiguiera cortar el musgo, ¿podría destruir a la Fiera de piedra?

—Merece la pena intentarlo —murmuró el muchacho. Pero necesitaba toda la ayuda que pudiera encontrar.

«¡La joya morada!», pensó recordando el premio que había recibido al vencer a *Pincho*, el hombre escorpión. La joya le daba a su espada el poder de romper la roca.

Tom cogió la espada con más fuerza, obligándose a ignorar las punzadas de dolor en su mano derecha. Avanzó y se quedó justo fuera del alcance de la Fiera.

—Vamos —dijo—. ¡Intenta atraparme!

La Fiera levantó la pierna izquierda y la bajó con fuerza. Tom saltó hacia un lado y oyó cómo temblaba la tierra con el impacto. Pero ahora el chico estaba al lado de una de las grietas musgosas de la pierna de *Rok*. Clavó con fuerza la espada en el musgo, invocando el poder de la joya morada. Oyó cómo la piedra se resquebrajaba y empezaron a salir trozos de musgo volando. El filo de su espada chocó contra el suelo, produciendo chispas que le dieron a Tom en la cara. *Rok* rugía de dolor. Levantó el pecho hacia el cielo y empezó a darse golpes con los puños. Su torso descendió y se arqueó. Movía los brazos de lado a lado.

—Sigue —se dijo Tom—. No pares ahora.

Volvió a clavarle la espada una y otra vez, apuntando a las grietas llenas de musgo. Muy pronto había un montón de musgo por el suelo y *Rok* estaba demasiado aturdido por el dolor como para defenderse. Se balanceaba en el aire por encima de la cabeza de Tom intentando mantener el equilibrio. El chico se detuvo, se limpió el sudor de la frente y miró a la peligrosa Fiera. *Rok* se inclinó hacia la izquierda, donde lo había herido. Después, con un rugido de desesperación, la Fiera se derrumbó como un árbol talado, moviendo los brazos.

Cuando chocó contra el suelo, su cuerpo tembló. Salieron rocas volando en todas las direcciones y Tom tuvo que apartarse del camino y esconderse dentro de uno de los pocos edificios que todavía se mantenían en pie.

Todo quedó en silencio.

A Tom se le paró el corazón. Su intención no había sido destruir a la Fiera de esta manera. Quería detenerla lo suficiente como para trepar hasta su cara y arrancarle el objeto que mantenía activo el maleficio de Velmal.

—Lo siento —murmuró al salir de su escondite y observar el destrozo. Se dio la vuelta para regresar a la cabaña donde estaba Elena cuando...

¡Clac!

¡Crunch!

¡Poc!

Tom se volvió y al ver lo que pasaba se le pusieron los pelos de punta. Los restos de la Fiera se arrastraban por el suelo polvoriento y se volvían a unir. ¡*Rok* estaba volviendo a formarse! Lanzó un rugido de rabia y golpeó con sus puños en la tierra mientras se apoyaba para ponerse de pie. Muy pronto volvía a ser tan alto como antes, con todos los miembros intactos. Sus ojos brillaban con furia.

«¿Cómo voy a vencer a una Fiera que se puede curar a sí misma tan rápidamente?», pensó.

¡Con los guantes!

Los sacó de su bolsillo y metió las manos en la tela ligera como una pluma. Había llegado el momento de trepar.

Corrió hacia *Rok* todo lo rápido que pudo. Se lanzó hacia delante con los brazos extendidos. La montaña andante movió la pierna izquierda para dar una patada mortal. Las manos de Tom se pegaron con fuerza a su espinilla y el chico empezó a subir por la pierna de la Fiera. Sus manos se pegaban con tanta fuerza a la roca que tenía que emplear todas sus fuerzas para despegarlas y seguir avanzando. Lenta y cuidadosamente, consiguió llegar a la cintura de *Rok*. La Fiera se retorcía, intentando quitarse al muchacho de encima, pero no era lo suficientemente flexible como para atraparlo. Por ahora, Tom estaba a salvo.

«No me puedo creer que esté trepando en una Fiera», pensó. Siguió subiendo hasta el gran pecho de *Rok*. Era mucho más peligroso que trepar el Risco de la Muerte.

A Tom casi se le para el corazón cuando oyó un crujido. Miró hacia arriba y vio que *Rok* había echado hacia atrás sus inmensos brazos y se preparaba para aplastarlo. Tenía que moverse con precisión.

Cuando los brazos mortales bajaron para machacarlo, Tom pegó un salto en el último segundo. *Rok* se golpeó en el torso con tanta fuerza que su cuerpo se tambaleó.

Tom levantó las manos y consiguió agarrarse a la cabeza de la Fiera.

Ahora se había quedado colgado de la cuenca del ojo de *Rok*.

CAPÍTULO DIEZ

LA BATALLA FINAL

Tom trepó y se metió en la cuenca del ojo, protegiéndose de la luz verde intensa que llenaba la hendidura.

Se dio la vuelta y miró desde el ojo del gigante. Vio las manos de piedra de la Fiera que se movían desesperadamente delante de su cara. Tom se metió más profundamente para ponerse lejos de su alcance. Si no conseguía vencer pronto la magia de Velmal ¿quién sabía el daño que se podía hacer *Rok* a sí mismo?

«¿De dónde sale esa luz verde?», se preguntó Tom. Miró a su alrededor. ¡Ahí! Un trozo de jade del tamaño de una naranja estaba clavado en la cuenca cavernosa del ojo.

—Tengo que darme prisa —resopló corriendo hacia el jade. Pero de pronto notó que salía disparado hacia la pared de la cuenca vacía. Casi inmediatamente su cuerpo empezó a rodar hacia el otro lado y pegó un grito cuando sus costillas se estrellaron contra la roca.

¡*Rok* estaba agitando la cabeza!

«Está intentando sacarme», pensó Tom. Alargó las manos y sintió que los guantes se pegaban a la pared de la cuenca. *Rok* movió la cabeza más violentamente. Los pies de Tom se movían en el aire y la fuerza de los movimientos le hacía temblar todos los huesos. Sabía que, de no ser por los guantes, ya habría salido despedido por los aires.

Durante un momento, las sacudidas cesaron y Tom oyó que *Rok* emitía un gemido de dolor. Tom se incorporó y notó cómo las gotas de sudor le bajaban por el cuello. Empezó a avanzar hacia el jade con las manos por delante. No quería que un movimiento repentino lo hiciera salir volando. Lento pero seguro, ponía una mano delante de la otra y se arrastraba por el suelo de la cuenca del ojo. Cada vez que movía las manos, sus guantes hacían un ruido de ventosa. Tom se acercaba al trozo de jade y tenía que bajar la cabeza para protegerse del brillo cegador.

Por fin tenía el jade al alcance de su mano.

Cerró los ojos para protegerse del intenso destello verde. Extendió el brazo derecho hasta que sus dedos consiguieron tocar la superficie suave y fría del jade. Tiró de la piedra preciosa, pero no se movió. Pegó su mano izquierda a la piedra grande, pero le resultaba imposible desencajarla.

Volvió a sentir cómo *Rok* bajaba la cabeza y la movía de un lado a otro y se tuvo que agarrar al jade con todas sus fuerzas. Pero era incapaz de moverlo, ni siquiera podía hacerlo con los guantes pegajosos. Necesitaba usar hasta sus últimas fuerzas. Saltó en el aire, plantó los pies en la base de la piedra y se preparó.

—Uno, dos y... —tomó aire con fuerza— ¡TRES!

Con un crujido que retumbó en las paredes, consiguió liberar el jade. La luz verde se apagó, pero el último esfuerzo de Tom ¡le hizo salir volando por la cuenca del ojo de la Fiera!

«¡Mi escudo!», pensó. Mientras caía, despegó una mano del jade e intentó desesperadamente coger el escudo.

—¡Ay! —exclamó al aterrizar. El golpe le sacó el aire de los pulmones y vio unos puntos rojos que bailaban delante de sus ojos. Pero no había caído al suelo; todavía seguía muy alto.

¡Había aterrizado en la palma abierta de la mano de *Rok*!

Tom se puso de pie. Si *Rok* cerraba la mano, lo aplastaría.

La Fiera lo miró y le pareció que por fin se entendían.

«Ha vuelto a ser bueno», se dio cuenta Tom.

En la cara de *Rok* se dibujó una sonrisa. Se agachó y depositó al chico cuidadosamente en el suelo. Tom vio cómo *Rok* bajaba la cabeza una vez. ¡Asentía para darle las gracias! Después la Fiera extendió una mano con la palma abierta.

«Quiere el jade.»

Tom puso la piedra verde en la palma

de *Rok* y lo despegó de sus guantes pegajosos. Uno a uno, los dedos de *Rok* se cerraron alrededor del jade para aplastarlo. Con un golpe de muñeca, *Rok* lanzó por los aires lo que quedaba de la piedra preciosa, un polvo grueso y verde que se esparció por todo el pueblo. Tom sintió un gran alivio en el pecho. Había conseguido completar otra Búsqueda y liberar a otra Fiera. El objeto de donde salía la magia negra de Velmal había sido destruido.

—¿Qué me he perdido? —preguntó una voz.

Tom se volvió para ver a Elena que se acercaba cojeando.

—¡Elena! —gritó Tom—. ¡Estás bien!

Su amiga asintió sonriendo. A su lado estaban *Plata* y *Tormenta*. El caballo relinchó para saludar. Su pelaje volvía a brillar y su mirada apagada había desaparecido. ¡Estaba curado!

—No te has perdido mucho —bromeó Tom cuando llegaron a su lado—. Sólo acabo de salvar a otra Fiera.

—Entonces no ha sido nada del otro mundo —se burló Elena.

Los dos se volvieron para ver cómo *Rok* se alejaba de vuelta a la montaña de donde había salido. La Fiera se detuvo delante de la ladera de la montaña. Poco a poco, las piedras que formaban su cuerpo volvieron a la base montañosa. Tom sabía que la imponente Fiera había vuelto a su hogar.

—Espero que ahora la gente vuelva y reconstruya el pueblo —dijo quitándose los guantes mágicos—. La fuerza malvada de Velmal ha desaparecido.

Poco después, Tom usó el espolón del fénix para curar las heridas y los cortes de Elena. Luego, su amiga subió a la ladera de la montaña para coger corteza de sauce y meterla en agua para que la bebiera *Tormenta*.

—Ya está mucho mejor —dijo, contenta—. Pero la medicina lo ayudará a recuperarse más rápidamente.

Aunque el caballo seguía teniendo calvas en algunos sitios, muy pronto volvería a moverse con su agilidad y energía habituales.

—Deberíamos guardar un poco de corteza —dijo Elena—. Nunca se sabe cuándo la vamos a necesitar.

—Iré a coger más —dijo Tom acercándose a los árboles que había cerca de la montaña de *Rok*. Trepó un árbol con facilidad, sin necesidad de usar los guantes, y desenvainó la espada cuando vio algo por el rabillo del ojo.

«No puede ser», pensó.

A lo lejos vio a Freya con la mirada

clavada en él. Tom notó que no podía apartar la vista de ella.

La Maestra de las Fieras de pronto echó una mano hacia atrás y le lanzó una roca. Tom levantó el escudo, sintió el impacto de la roca al chocar contra la madera y casi se cae del árbol. Con un gruñido, Freya se dio la vuelta y desapareció en la montaña.

—¿Qué demonios? —empezó a murmurar Tom. Entonces miró el lugar dónde había aterrizado la piedra. Se bajó del árbol justo cuando Elena llegaba corriendo.

—¿De dónde ha salido esa roca? —preguntó.

—Freya —contestó Tom.

Elena dio un grito.

—¡Quería matarte!

Tom iba a asentir, pero se detuvo al observar de cerca el misil de Freya. Pesaba tanto que había provocado un socavón en la tierra, dejando al descubierto unas raíces, hojas... y algo oscuro y correoso.

—¿Qué es eso? —musitó Tom, apartando la piedra con el pie. Se agachó y cogió una pequeña bolsa de cuero con unas cintas resistentes.

Elena frunció el ceño.

—¿Quién habrá enterrado eso ahí?

—No lo sé —contestó Tom—, pero nos podría resultar útil. Puedo usarla para meter las recompensas y no cargar demasiado las alforjas de *Tormenta*.

—¡Ja! —dijo Elena con una sonrisa en la cara—. Seguro que Freya no esperaba que pasara eso cuando te tiró la piedra.

Tom notó una oleada de emoción por todo el cuerpo.

—¿Y si lo hubiera esperado? —preguntó—. ¿Y hubiera querido enseñarme esto con la parte buena que le queda? Todavía podemos salvarla, Elena. ¡Sé que podemos!

Elena asintió.

—A lo mejor —dijo—. Pero por ahora tenemos un caballo que vuelve a estar sano y una nueva Búsqueda que completar.

Tom sacó los guantes mágicos del bolsillo y los metió en la bolsa junto con la perla mágica y el anillo que había ganado en sus Búsquedas anteriores. Él y Elena se acercaron a *Tormenta* y *Plata*. El chico estaba completamente agotado, pero lleno de energía y determinación. Mientras la sangre corriera por sus venas, nunca abandonaría a las Fieras ni a la Maestra de las Fieras.

—Tenemos que ponernos en camino —le dijo a Elena mientras subía a la montura de *Tormenta*. Miró hacia las montañas de Gwildor y sintió que el espíritu de *Rok* le deseaba suerte. ¿Qué nuevas Fieras lo esperaban? Metió a *Tormenta* por el camino. Elena caminaba a su lado, con

Plata corriendo por delante. Tom sabía que los cuatro estaban listos para enfrentarse a la cuarta Fiera.

—Haremos cuanto sea necesario —prometió.

ACOMPAÑA A TOM EN SU
SIGUIENTE AVENTURA
DE *BUSCAFIERAS*

Enfréntate a las Fieras.
Vence a la Magia.

www.buscafieras.es

¡Entra en la web de *Buscafieras*!

Encontrarás información sobre cada uno de los libros,
promociones, animación y las últimas novedades sobre
esta colección.

Fíjate bien en los cromos coleccionables que regalamos
en cada entrega. Cada uno de ellos tiene un código
secreto en el reverso que te permitirá tener acceso
a contenidos exclusivos dentro de la página
web de *Buscafieras*.

¿Ya tienes todos los cromos?
¡Atrévete a coleccionarlos todos!

¡Consigue la camiseta exclusiva de **BUSCAFIERAS!**

Sólo tienes que rellenar **4 formularios** como los que encontrarás al pie de esta página de **4 títulos distintos** de la colección Buscafieras. Envíanoslos a EDITORIAL PLANETA, S. A., Área Infantil y Juvenil, Departamento de Marketing (BUSCAFIERAS), Avda. Diagonal, 662-664, 6.ª planta, 08034 Barcelona

Promoción válida para las 1.000 primeras cartas recibidas.

✂

Nombre del niño/niña: ....

Dirección: ....

Población: .... Código postal: ....

Teléfono: .... E-mail: ....

Nombre del padre/madre/tutor: ....

☐ Autorizo a mi hijo/hija a participar en esta promoción.

☐ Autorizo a Editorial Planeta, S. A. a enviar información sobre sus libros y/o promociones.

Firma del padre/madre/tutor:

BUSCAFIERAS N.º 27 PRUEBA DE COMPRA